KSIĘGA
POTWORÓW

Basi, Natalce i Kubie,

czyli Moim Ulubionym Potworom –

Michał

Joasi – Daniel

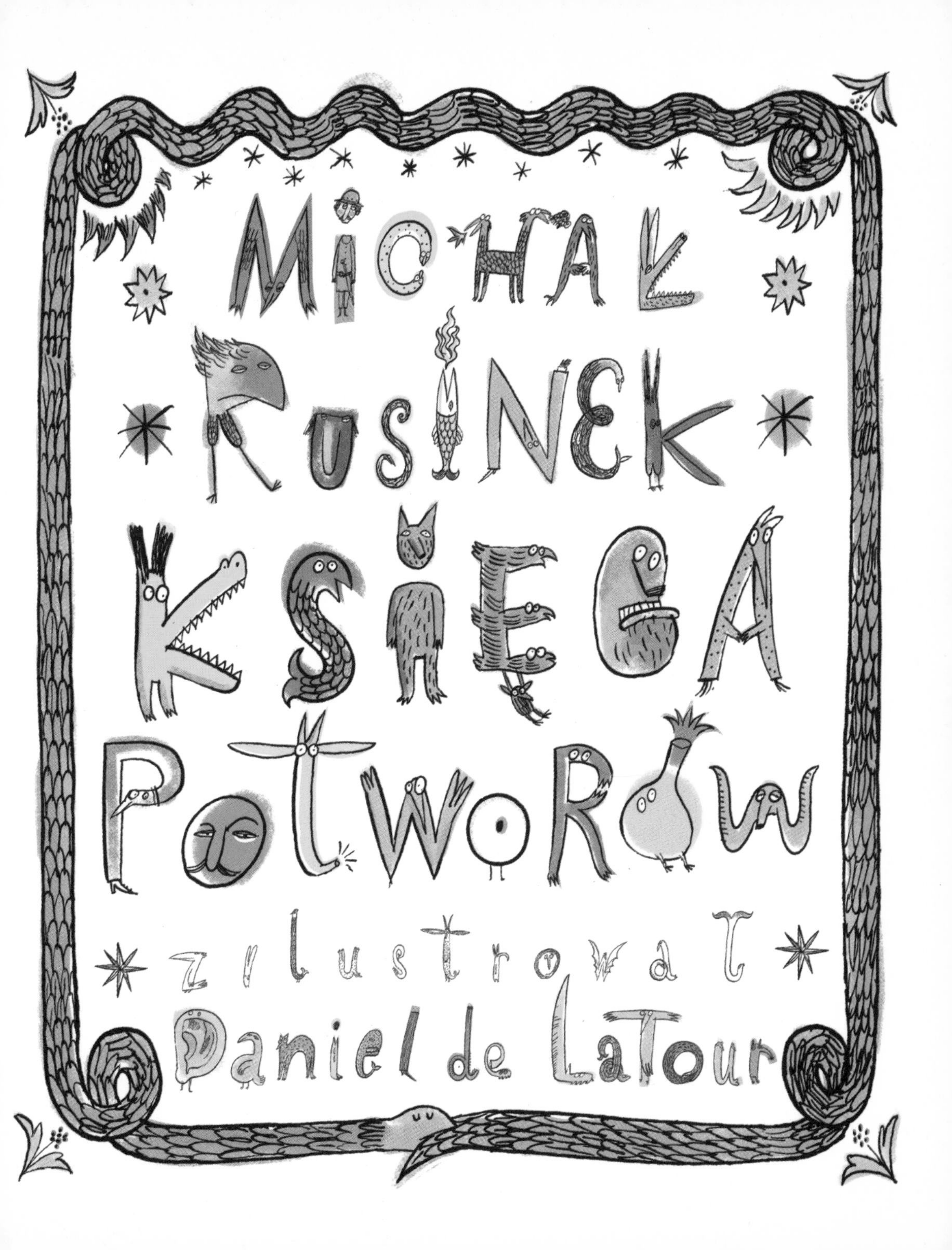
MICHAŁ
RUSINEK
KSIĘGA
POTWORÓW
zilustrował
Daniel de LaTour

STRACH

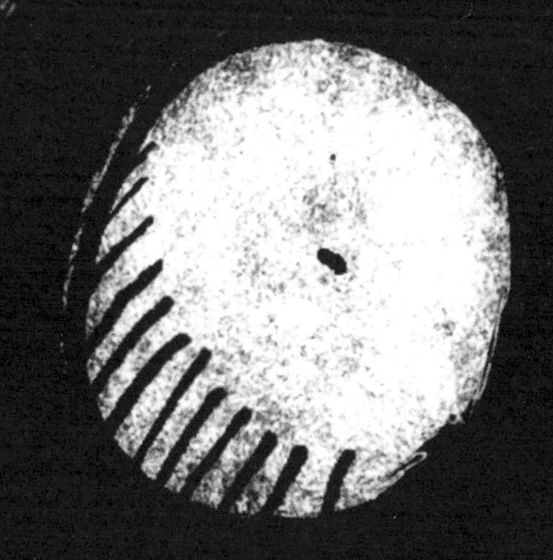

Strach ma, być może, wielkie o c z y ,

lecz gdy kto spojrzy z innej strony,

z pewnością faktu nie przeoczy,

iż oczy – owszem – lecz o g o n y ,

c z u ł k i , p r z y s s a w k i , p a r z y d e ł k a ,

n i b y o d n ó ż k i , n i b y b u t k i ,

p y s z c z k i , o d w ł o c z k i i s k r z y d e ł k a

ma Strach niegroźne i m a l u t k i e !

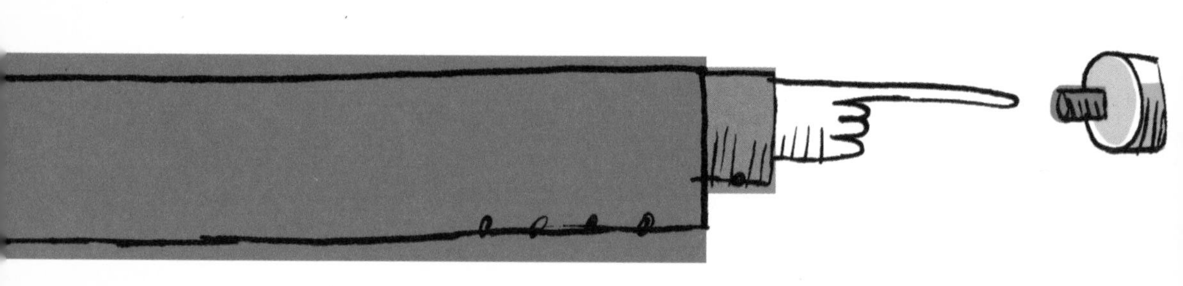

BAZYLISZEK

Według niektórych bajek
wykluwa się on z jajek.

Gdy jeszcze siusia w pieluchy,

zajmują się nim ropuchy.

A potem rośnie wciąż

jak wielki gruby wąż.

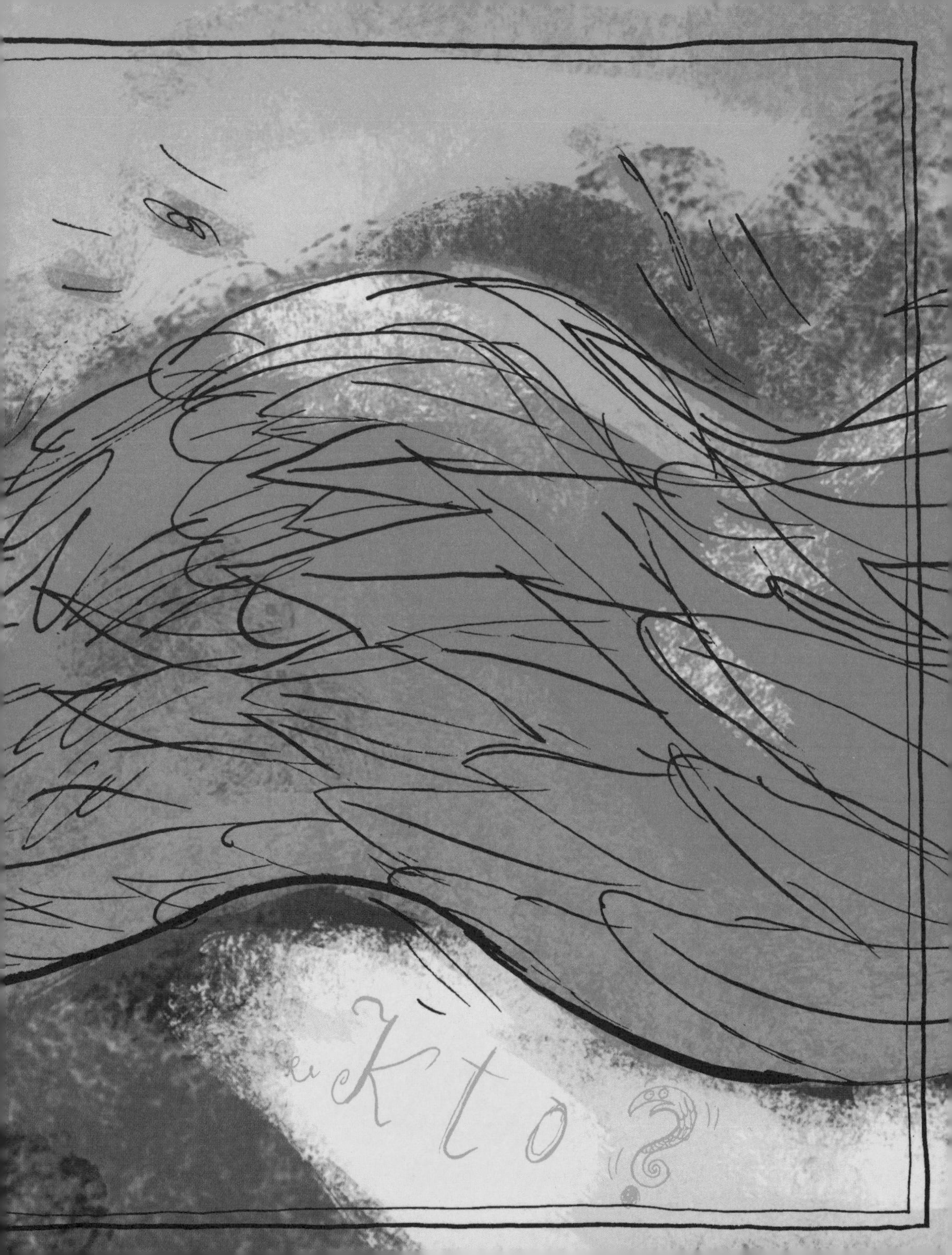
kto?

Kto? Jak to, kto? Bazyliszek,
potwór i groźny opryszek,
co wzrokiem w kamień zamienia,
w dodatku z zaskoczenia.
I z buzi mu pachnie nieładnie:
na kogo chuchnie – ten padnie!

Przez swoje mankamenty

przyjaciół ma głównie padniętych.

Więc Bazyliszek smuci się i wścieka,

bo chociaż inni go obchodzą – to raczej z daleka.

CENTAUR

Centaur – pół koń, a pół człowiek.
Czasem zarży, a czasem coś powie.
Czasem puści się w las galopem,
czasem pomknie gdzieś autostopem,
czasem żywić się będzie sianem,
czasem drogim francuskim szampanem,
czasem da sobie przykuć podkówki,
czasem trudne rozwiąże krzyżówki.

Jak by Centaur odpowiedzieć miałże
na pytanie: „Kim jesteś, Centaurze?”.

Źle się mówi o Cerberze
na fejsbuku i tłiterze:
że wyraża się nieszczerze,
zachowuje się jak zwierzę,
wydłubuje z kołder pierze,
tłucze miski i talerze,
pisze er zet w słowie „świeże"
a zet z kropką w „bohaterze",
brzydko beka przy deserze,
głośno chrapie na operze,
zwą go Puszkiem w „H. Potterze",
brzydkie pryszcze ma na cerze,
mieszka w bloku na parterze,
kiepsko jeździ na rowerze...

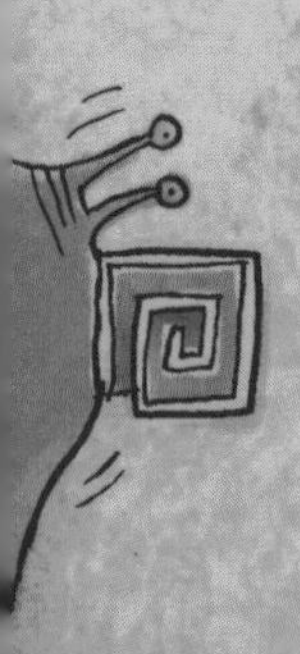

BER

Mówiąc szczerze, ja nie wierzę
w takie bzdury, mój Cerberze.

Chimera

Będę z wami szczery:
nie są lubiane Chimery.
Ludzie sądzą, że Chimera
to postać raczej nieszczera,
bo niby jak ma być szczery
ktoś, kto natury ma cztery?

No dobrze, przepraszam. Trzy:
lwa, węża i kozy. Lecz lwy
nie widzą kuzynki w Chimerze.
„Cóż z ciebie za dziwne zwierzę?"
– pytają ją kozy i węże,
co konsekwencję ma tę, że

Chimera ryczy w gniewie:
„Kim jestem? Sama nie wiem!".
Cóż, idzie na dróg rozstaje
gdzie chimeryczna się staje
i klnie pod nosem: „Cholera!".
Taka już jest ta Chimera.

DŻINN

Dżinn jest mocarny wielce,
choć mieszka w malutkiej butelce.
Ma w niej pokoik maleńki
i łóżko w czymś na kształt wnęki,
i lustro w maciupkiej łazience,
gdzie swej szerokiej szczęce
przygląda się, siedząc w wannie

Bdoing!
Dziup!
Bziunk!
Dling!
Dziunk!
Dzing!
Dziong!
Szzzz!

i sprawdza bardzo starannie,

czy każdy ząb jest czysty.

Bo Dżinn... boi się dentysty.

Myj zęby codziennie Dżinnie,

a strach przed dentystą ci minie.

Natychmiast wyjdziesz z butelki

i czynów dokonasz wielkich!

Elf

Hej, Elfie!
Czy zrobisz sobie ze mną selfie?
Wiem, że powinno się mówić „selfi",
ale wtedy bez rymu byłby ten wierszyk elfi.

GNOM

Gnom
ma naturę złom,
(a poprawnie: złą).
Przez istotę tą
(a poprawnie: tę)
z przerażenia drżę,
bo choć mała jest,
umie kopnąć fest!

Gobliny
mają zakłopotane miny,
gdy czasami
myli się je z gobelinami.

GREMLI

Gdy ci się zepsuje rower, budzik lub komputer

lub gdy inne sprzęty nagle okażą się zepsute,

przyjmij, że to pech lub twoja własna wina,

a nie zwalaj nigdy winy na Gremlina.

Bo taki Gremlin, oskarżany bezpodstawnie,

może coś naprawdę zepsuć – i to bardzo sprawnie!

HARPIE

Nie bardzo wiem, co robią Harpie.
Podobno jedna drugą szarpie,
krzycząc: „Kto ma tak piękne szpony,
jest do szarpania wręcz stworzony".
Po chwili druga pierwszą szarpie.
I tak spędzają swe dni Harpie.
Raz są szarpane, raz szarpiące,
aż w końcu robią się ciut śpiące.
Gdy zapadają w sen nocami,
śni im się, że są... harpunami.

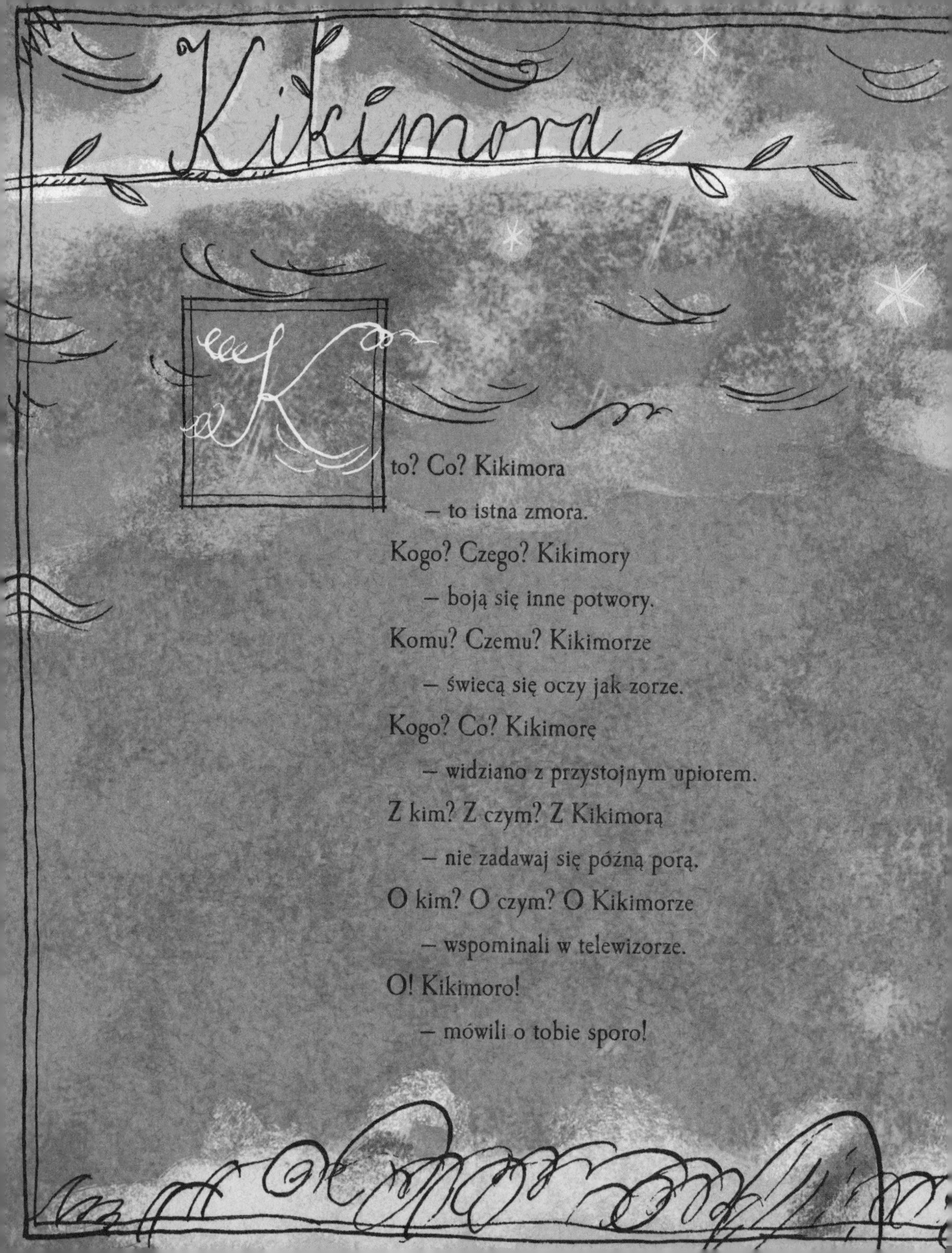

Kikimora

Kto? Co? Kikimora
– to istna zmora.
Kogo? Czego? Kikimory
– boją się inne potwory.
Komu? Czemu? Kikimorze
– świecą się oczy jak zorze.
Kogo? Co? Kikimorę
– widziano z przystojnym upiorem.
Z kim? Z czym? Z Kikimorą
– nie zadawaj się późną porą.
O kim? O czym? O Kikimorze
– wspominali w telewizorze.
O! Kikimoro!
– mówili o tobie sporo!

KRAKEN

Gdy wypłyniesz na morze przy pogodzie paskudnej
i przybijesz do wyspy najwyraźniej bezludnej,

zanim w ziemię gwóźdź wbijesz, by rozstawić antenę,

sprawdź, czy wyspa bezludna nie jest aby Krakenem.

MINOTA

Powiem wam coś o Minotaurze:
ten potwór się okropnie bał, że
ktoś, kto zobaczy Minotaura – ten będzie zeń się śmiał.

Minotaur nie był towarzyski:
„Mam grypę – mawiał. – I wypryski.
Boli mnie głowa. Kłuje w boku.
Nie dziś. No, może w przyszłym roku.
Poza tym jest tu bardzo nudno.
I adres zapamiętać trudno.

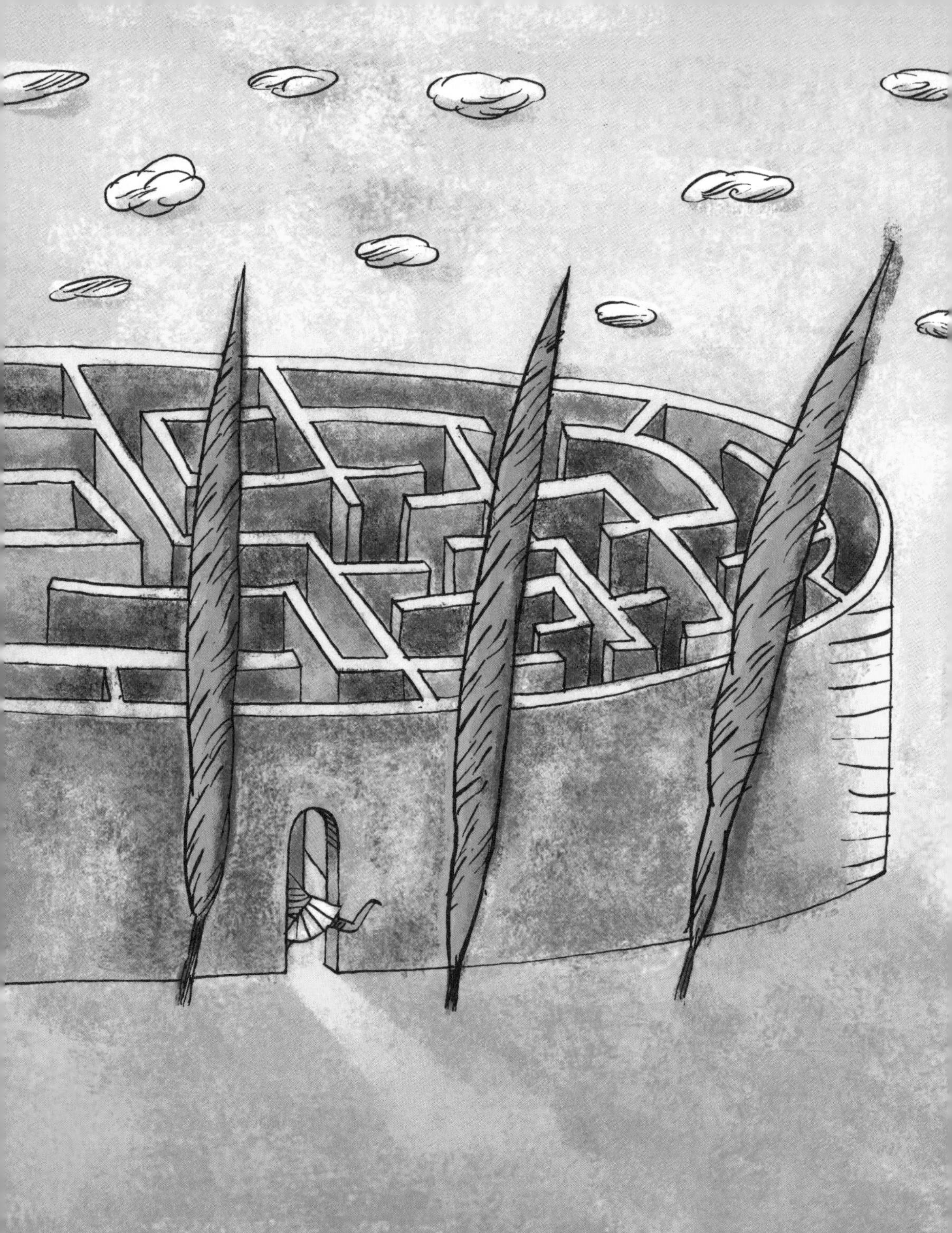

Labirynt ulic i uliczek,
przyznam, że ja sam ich nie zliczę"
– mawiał Minotaur do swych gości.
A wszystko to, cóż, z nieśmiałości.

Nibelung

Nibelung? Czy to ktoś na niby?
Czy raczej typ niebieskiej ryby?
Ma nibynóżki czy też nie?
Pod wodą czy po niebie mknie?
A może pływa gdzieś po Renie?
I do czynienia ma z pierścieniem?
Coś mi już świta... Wiem! Opera!
Opera pana R. Wagnera!
Kto jej wysłucha, choć jest dłu(n)ga,
pozna istotę Nibelunga.

Tylko wtedy wychodzi bestia z Ogra,
kiedy w jakąś grę ktoś go ogra.

ORK

Krwiożerczy bywa Ork,

ale tylko we wtork.

A w środ., czwart., pon., sob., piąt.?

Ależ skąd!

Pon.

Wtork.

Środ.

Czwart.

Piąt.

Sob.

Niedz.

Potwór z Loch Ness

Gdy spytasz Szkota, czy w wodach Loch Ness żyje potwór – odpowie ci:

Yes.

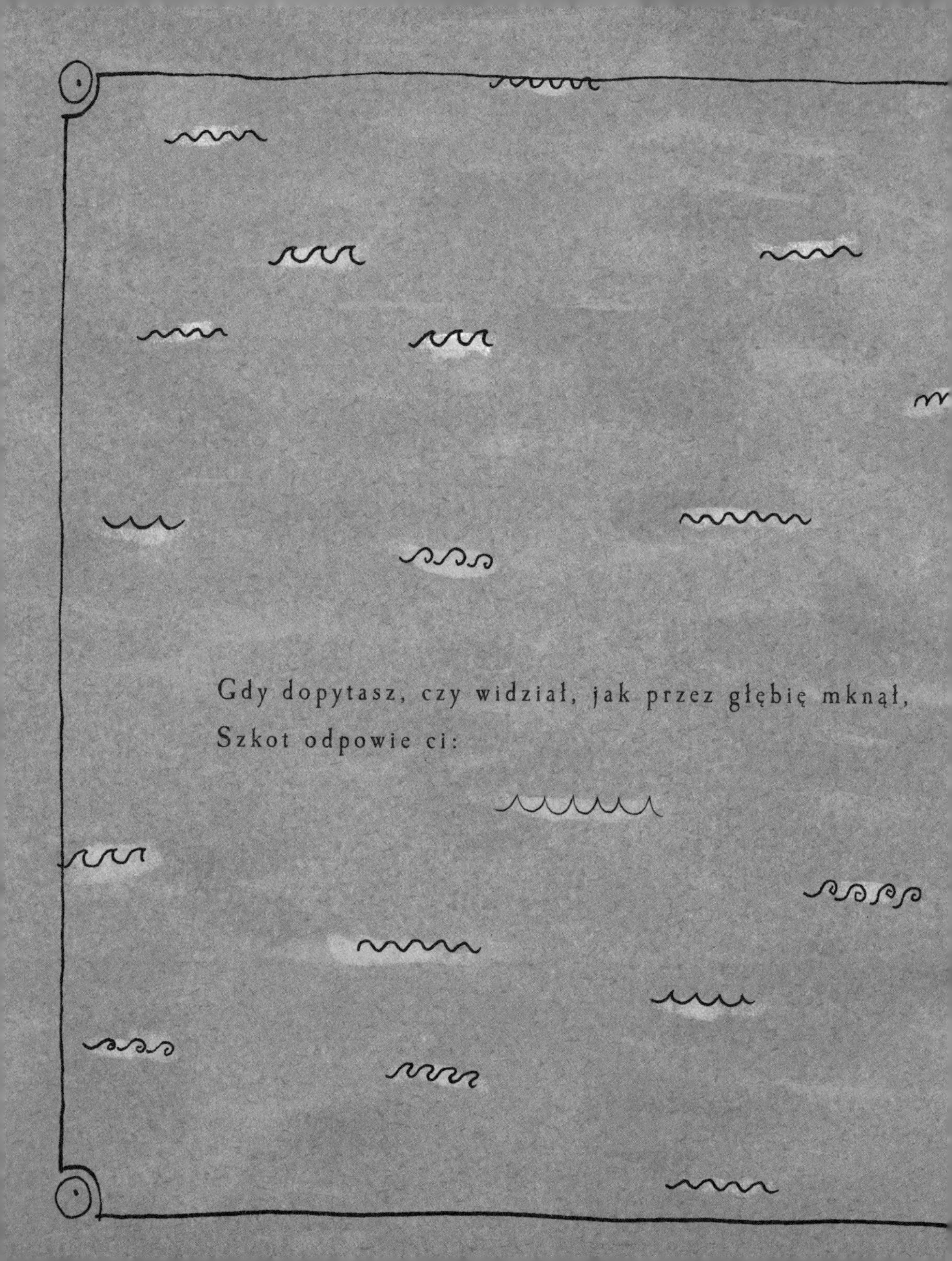

Gdy dopytasz, czy widział, jak przez głębię mknął,
Szkot odpowie ci:

No.

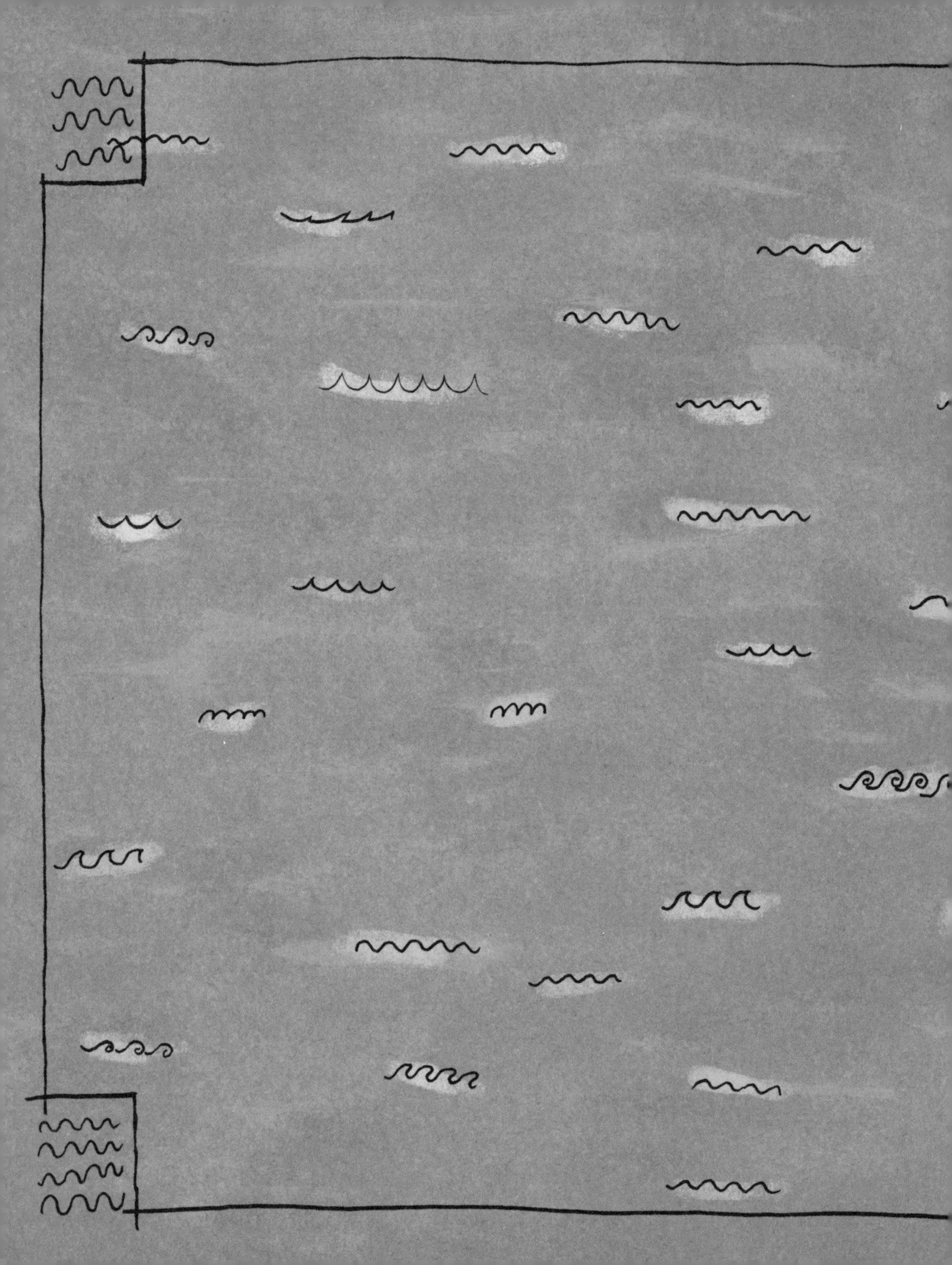

Chwalił się pewien śmiałek,
że się nie boi Rusałek,
bo jak ktoś tak piękny jak one
mógłby nas wziąć na stronę,
na manowce zwieść lub w maliny?
Przecież nie piękne dziewczyny!
No cóż, takich przechwałek
nie lubi żadna z Rusałek.

Porwały Rusałki śmiałka
i wkrótce śmiałek załka,
kiedy te piękne istotki
sprawdzą, czy ma łaskotki.

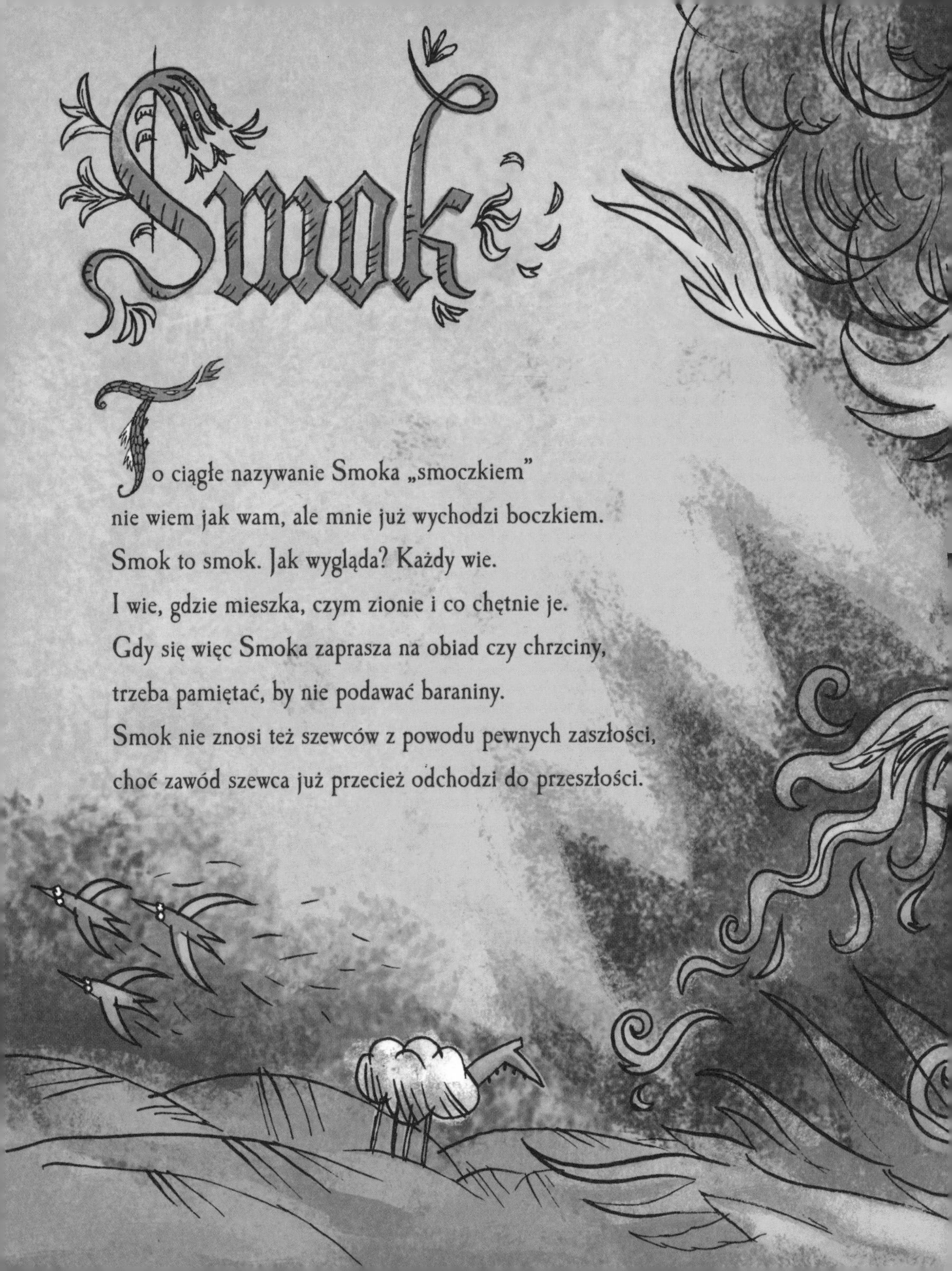

Smok

To ciągłe nazywanie Smoka „smoczkiem"
nie wiem jak wam, ale mnie już wychodzi boczkiem.
Smok to smok. Jak wygląda? Każdy wie.
I wie, gdzie mieszka, czym zionie i co chętnie je.
Gdy się więc Smoka zaprasza na obiad czy chrzciny,
trzeba pamiętać, by nie podawać baraniny.
Smok nie znosi też szewców z powodu pewnych zaszłości,
choć zawód szewca już przecież odchodzi do przeszłości.

Sylf to figlarz, plotkarz i podły aferzysta,
z każdej okazji do psot chętnie skorzysta:
ubrudzi coś, co przed chwilą umyłeś do czysta,
tu rozleje lub stłucze, tam w kominie zaśwista.
Kłopot w tym, że Sylf to istota przezroczysta,
nie wiadomo: duża czy mała, chuda czy puszysta.

Kto próbuje z nim gadać, gdy gdzieś obok lata,
ten jest zwykle brany za wariata.

Każdej Syrenie, a nawet Syrence,
należy patrzeć na ręce.
Pytasz dlaczego, mój drogi?
Bo nie da się jej patrzeć na nogi!

T.R.O.L.L

Troll to stwór
z gór,
i niestety – g b u r.

Do tego d r a ń:
nie ma szacunku dla pań,
choć są miłe dlań!

W dzień
znajduje sobie cień
i śpi jak p i e ń.

W nocy, no wiecie,
trzy po trzy plecie
w I n t e r n e c i e .

Lepiej go o nic nie pytać,
bo on książek nie czyta.
Cóż, t r o g l o d y t a .

Ale wiem,
że gdyby mu ktoś poczytał przed snem
zmieniłby się c i c h - c e m .

TRYTON

Nie ma łatwego życia Tryton,
bo to pół człowiek, a pół ryba,
głos ma pół falset, pół baryton,
nie mówi: „tak" lub: „nie", lecz: „chyba".
Ryby go mają za dziwaka,
ludzie wołają: „O, syrena!".
W operze już raz była draka,
aż się zapadła pod nim scena.

Co zrobić z nieszczęsnym Trytonem?
Polubić! Razem z rybim ogonem!

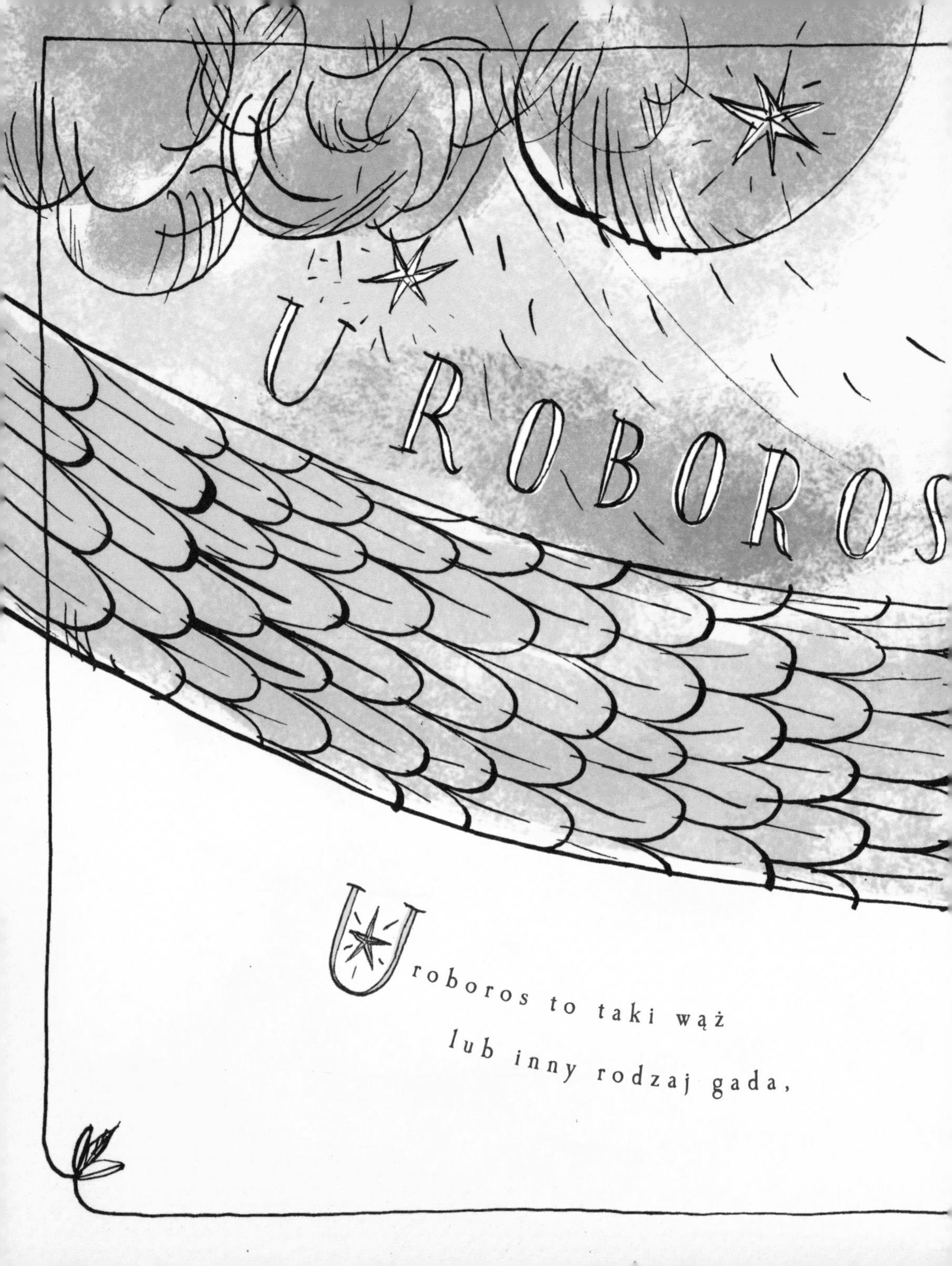

UROBOROS

Uroboros to taki wąż
lub inny rodzaj gada,

co od starożytności wciąż
ogon mlaskając zjada.

Hej, wy, co ogon macie (w cętki, czarny lub jasny),

nie bójcie się Uroborosa. On zjada tylko własny.

Utopiec

Utopiec
to taki młody chłopiec,
co siedzi na głazie gładkim
i wszystkim zadaje zagadki.
Kto nie zna na nie odpowiedzi
lub zbyt długo nad nimi się biedzi,
tego ten chłopiec młody
wrzuca do najbliższej wody.

Z pozoru – miły chłopiec,
ale jednak Utopiec.

Walkiria

Z imienia – wojownicza,
z wyglądu – tajemnicza.
Kiedyś jeździła na wilku,
teraz korzysta ze środków transportu kilku:
tramwaju, autobusu, auta lub skutera.
(choć podobno widziano też Walkirie na rowerach).
Lepiej nie wchodzić jej w drogę,
bo dla niej nie ma „nie mogę":
anginę pokona,
oswoi demona,
przyszyje guziki,
przybije gwoździki,
przed snem ci poczyta,
nakarmi do syta,
przyklei zelówkę,
naprawi lodówkę,
sok zrobi z aronii,
złe sny ci odgoni.

Nie wiem jak wam, ale mi
to wszystko dość znajomo brzmi.

ilkołaki
to całkiem zwykłe chłopaki,
które się nocą, w przeciągu chwilki,
zmieniają w wilki.

Przyznam się wam,
że ja sam
też się w nocy zmieniam, leżąc na kanapie,
ale w śpiocha (który przeraźliwie chrapie).

Niewiele wiadomo o Yeti,

niesteti.

Poza tym, że ma wielkie stopy (bo zostawia wielkie ślady),

ale zobaczyć go – nie da rady.

Ukrywa się w Himalajach, w jakiejś pieczarze.

Czemu? Bo nie robią butów w jego rozmiarze.

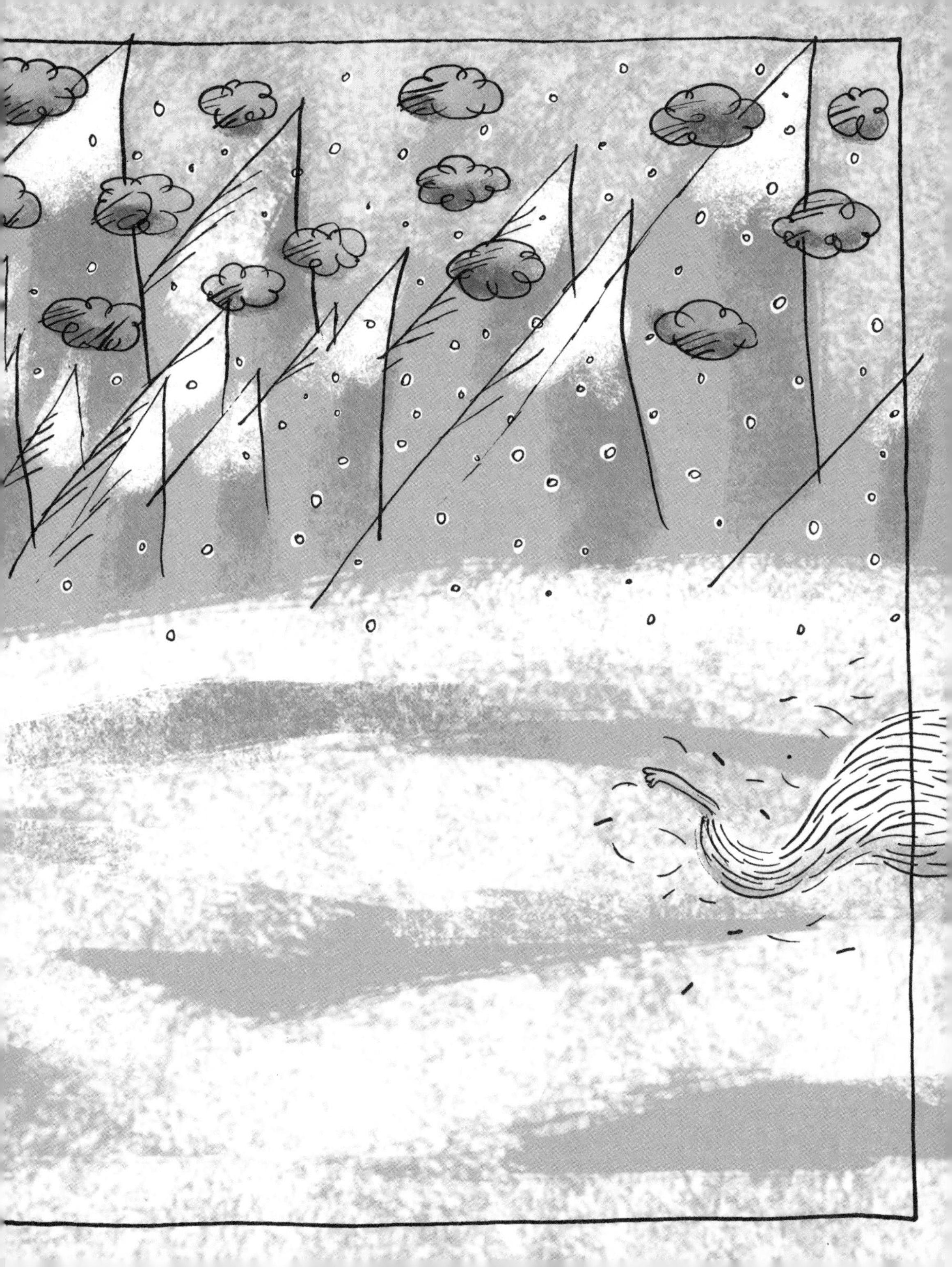

Zdrobnienia mogą być złudne
i ukrywać stworzenia paskudne,
paskudniejsze od tych niezdrobnionych.
W czym są gorsze na przykład demony
od niewinnie zdrobnionych demonków?
Czy pod względem długości ogonków?
Czy ostrości pazurów lub rogów?
Lub skłonności do pizz i hot-dogów?

By nie szukać daleko: Rusini
nawet kiedy ze złości są sini,
nie są zdolni do takich uczynków
jak szarańcza bezczelnych Rusinków,
która zanim się kto zorientuje,
wszystko z wszystkim bezczelnie zrymuje.

DELATURY

Delatury
nocą wyłażą z dziury
uzbrojone w kolorowe kredy,
którymi niekiedy
rysują na asfalcie rysunki tak przerażające,
że na ich widok drżą ze strachu nie tylko brzdące,
ale i minister całkiem dorosły
oraz dwa osły.

Och, nie bój się potworów:
są groźne – lecz z pozoru.
Powstały w wyobraźni,
by żyło się nam raźniej,
by wszystkie nasze lęki,
obawy i udręki
zyskały swe imiona:
Utopca lub Trytona,
Walkirii, Minotaura,
Cerbera lub Centaura,
Rusałki, Elfa, Dżinna,
Krakena lub Goblina,
i innych bardzo wielu,
o których, przyjacielu,
jest przecież książka ta.

Tu jest jej koniec. Pa!

Alfabetyczny spis potworów

wraz z objaśnieniami

CENTAUR

Bazyliszek

Bazyliszek jest wielkim gadem, który czasami osiąga długość nawet kilkunastu metrów. Wykluwa się z jaj znoszonych przez koguty, które przez lata wysiadywane są przez ropuchy. Jest potworem wyjątkowo niebezpiecznym, ponieważ zabija... wzrokiem. Właśnie z tego powodu w wielu historiach bohaterowie starali się sprawić, aby bazyliszek ujrzał własne odbicie w lustrze – tym sposobem można było go unicestwić. Potwora tego spotkać można w klechdach domowych – opowieściach podobnych do legend, opisujących ludowe obyczaje i wierzenia dawnych pokoleń. Bazyliszek pojawił się także w książce J. K. Rowling *Harry Potter i Komnata Tajemnic*. W tej historii główny bohater – młody czarodziej imieniem Harry – staje oko w oko z bazyliszkiem, który przez lata zamieszkiwał tytułową komnatę.

Centaur

Centaur wywodzi się z mitologii greckiej. Jest stworzeniem, które łączy w sobie dwie różne istoty – ma tułów konia i korpus człowieka. Centaury zazwyczaj żyją w grupach, zamieszkując lasy. Wyposażone są w broń – łuki, miecze lub włócznie. Centaury mogą być zarówno dobre, jak i złe. Dobre centaury występują w *Opowieściach z Narnii*, są przyjaciółmi ludzi i bronią ich, walcząc u ich boku przeciwko złu.

Cerber

Cerber w starożytnej Grecji był uważany za strażnika Hadesu – krainy zmarłych. Mieszkał nieopodal rzeki Styks, która oddzielała krainę żywych od krainy umarłych, i pilnował, by nikt, kto został tam przewieziony, nie próbował uciec. Nie był jednak niezawodny – można było go przekupić słodkim plackiem. Z legendarnym Cerberem spotkał się Herakles, wykonując jedno ze swych dwunastu zadań. Heros musiał oswoić potwornego psa i wyprowadzić go z podziemi. Cerber miał kilka głów, ale także ciało pokryte wężową łuską.

Chimera

Chimera łączy w sobie trzy natury – ma głowę lwa, ciało kozy i ogon węża. O dziwnej naturze Chimery wiedzieli już starożytni Grecy, którzy wspominali o niej w swoich utworach. Homer w *Iliadzie* opisywał to stworzenie jako połączenie kilku zwierząt, ziejące strasznym ogniem i wywodzące się prosto od bogów. Do dziś używamy określenia „chimeryczny", by podkreślić, że ktoś jest kapryśny.

Dżinn

Dżinn mieszka w lampie. Musi siedzieć w niej tak długo, aż ktoś potrze lampę i tym samym pozwoli mu się wydostać na zewnątrz. Czasami ludzie mają władzę nad dżinnami, dlatego są one więzione. Dżinny pojawiły się dawno temu w wierzeniach arabskich. Jako bohaterowie wielu opowieści mogą być postaciami dobrymi albo złymi. Dżinn jest stworzony z czystego ognia bez dymu i obłoku pary. Może przyjąć różne postacie – być człowiekiem, zwierzęciem lub potworem. Najprawdopodobniej najbardziej znanego dżinna można spotkać w opowieściach o Alladynie, który uwalnia go z lampy, w której siedział dziesięć tysięcy lat. Wdzięczny dżinn spełnił trzy życzenia swojego wybawcy.

CERBER

GOBLIN

Elf

Elfy są stworzeniami, które można rozpoznać po spiczastych uszach, zielonym stroju i łuku w dłoni. Są niezrównane w łucznictwie. Zazwyczaj mieszkają w lasach i mają magiczne zdolności. Nie zawsze są przyjazne wobec ludzi. Są długowieczne albo nawet nieśmiertelne, a do tego pięknie i zawsze młodo wyglądają. Pojawiają się m.in. w mitologii nordyckiej, folklorze skandynawskim, niemieckim czy mitologii irlandzkiej. Bywają też pomocnikami Świętego Mikołaja, ale wówczas nieco inaczej się ubierają. Można je spotkać w książkach J. R. R. Tolkiena. Postaci te pojawiają się także w serii gier komputerowych *Warcraft* – tam jednak są przedstawione w bardziej demonicznej wersji.

Gnom

Gnomy to bardzo małe stworzenia. Są dość brzydkie – mają wielkie uszy oraz kościste stopy. Ich obecność jest oznaką pomyślności i szczęścia. Gnomy nie są obdarzone inteligencją ani odwagą. Spokrewnione są z krasnoludkami. Gnomy pojawiają się między innymi w książkach o Harrym Potterze. Zamieszkują ogródki i są często ścigane przez Krzywołapa, kota Hermiony. Pojawiają się również u J. R. R. Tolkiena, w opowiadaniach Andrzeja Sapkowskiego, grach *Warcraft* i *The Sims 3*.

Goblin

Gobliny trochę przypominają gnomy – są niewysokiego wzrostu, mają wielkie oczy i uszy oraz długie kończyny, zakończone ogromnymi stopami i dłońmi. Gobliny są inteligentniejsze niż gnomy. Interesują się inżynierią i techniką, a czasami również handlem. Stworzenia te występują w wielu filmach, bajkach i grach m.in. w animowanym serialu *Noddy*. Są wiecznie naburmuszone i ciągle szykują jakiś spisek. Gobliny występujące w grze *World of Warcraft* przedstawiono jako stworzenia zafascynowane nauką i techniką.

Gremlin

Gremliny spopularyzowane zostały przez Freda Robinsona, który opublikował w latach 40. XX w. serię komiksowych historyjek z ich udziałem na łamach brytyjskiego magazynu *Knockout*. Amerykańscy piloci właśnie gremliny obwiniali za pojawianie się różnorakich usterek technicznych w samolotach. W latach 80. gremliny zostały bohaterami amerykańskiego filmu *Gremliny rozrabiają*. Przedstawiono je jako małe, wielkookie stworzenia pokryte mięciutkim futerkiem. Mają one jednak ciemną stronę – po zetknięciu z wodą urocze stworzonka przemieniają się w niebezpieczne potwory, przypominające gady.

Harpia

Harpia jest pół kobietą, pół ptakiem. Zazwyczaj występuje jako bohaterka, przed którą należy uciekać. Już w mitologii harpie pojawiały się tam, gdzie trzeba było dokonać czegoś złego – porywały ludzi, zabierały lub zatruwały im jedzenie. Stworzenia te występują w wielu opowieściach, choćby w *Opowieściach z Narnii*, gdzie służą złu. Harpię możemy spotkać również w naszym świecie – ptak, zwany harpią wielką, zamieszkuje lasy tropikalne Ameryki Południowej i Środkowej.

Kikimora

Uważana za żonę domowika – opiekuńczego ducha domu – kikimora nie jest pomocnym duchem. To mała, złośliwa kobietka, która nie lubi mężczyzn, dzieci ani zwierząt. Przeszkadza im, hałasuje i budzi w nocy. Mimo to umie pięknie prząść oraz dziergać koronki i bardzo to lubi. Furkot wrzeciona kikimory uznawany był przez domowników za zły znak. W jej istnienie i szkodliwe działanie wierzono niegdyś przede wszystkim na Rusi. Słowianie uważali, że kikimora zamieszkuje piwnice i strychy, czyli miejsca ciemne i wilgotne.

KIKIMORA

MINOTAUR

Kraken

Kraken jest wielką ośmiornicą, która od pradawnych czasów zamieszkuje oceany. Jest tak wielki, że żeglarze czasem biorą go za wyspę. Wybudzenie tego potwora ze snu może oznaczać ogromne niebezpieczeństwo. Jego prawowitym władcą jest Neptun, lecz słucha tego, kogo zobaczy zaraz po przebudzeniu. Kraken jest bohaterem wielu książek i filmów (np. *Piraci z Karaibów*). Lubią go także autorzy gier komputerowych i filmów animowanych.

Minotaur

Minotaur po raz pierwszy pojawił się w mitologii greckiej, gdzie przedstawiono go jako strasznego potwora żyjącego w labiryncie. W ten sposób opisano go w micie o Tezeuszu i Ariadnie. Król Krety, Minos, zamknął kiedyś Minotaura w labiryncie, który znajdował się nieopodal pałacu. Po zwycięstwie nad Ateńczykami zażądał, aby co dziewięć lat wysyłano czternastu młodych ludzi z Aten jako ofiarę dla Minotaura. Pewnego razu do labiryntu trafił młodzieniec imieniem Tezeusz, który dzięki nici otrzymanej od pięknej Ariadny nie zgubił się w labiryncie i pokonał potwora. Minotaur pojawia się w *Opowieściach z Narnii*. W tomie *Lew, czarownica i stara szafa* minotaury walczą u boku złej Białej Czarownicy. Tworzą armię, na której czele stoi najgroźniejszy z nich – Otmin. Ale już w innej części, zatytułowanej *Książę Kaspian*, minotaury pomagają głównym bohaterom. Minataury nie są zbyt urodziwe. Najczęściej przypominają pół człowieka, pół byka. Wyglądają bardzo groźnie, a do tego mają wielkie rogi.

Nibelung

Nibelung jest karłem, który ciężko pracuje jako kowal i górnik. Nibelungi żyją w grupach i zamieszkują podziemne państwo Nibelheim. Kiedyś karły te posiadały złoto, ale później pozbawiono je tego skarbu. Ich historia sięga XIII wieku, a zatem ma już ponad osiemset lat. Wówczas napisano o nich pieśń, na podstawie której niemiecki kompozytor Richard Wagner stworzył swoją operę *Pierścień Nibelunga*. Ta opera też jest już wiekowa – ma ponad sto pięćdziesiąt lat. Nibelung jako karzeł jest oczywiście niski, a do tego szczupły i ma duże dłonie oraz stopy. Jego zwichrzone włosy sięgają ramion. Nibelungi może nie są ładne, ale za to wyjątkowo pracowite.

Ogr

Ogry to olbrzymie, bardzo silne, niezbyt rozumne potwory, charakteryzujące się dużym okrucieństwem. Najsłynniejszym ogrem świata jest Shrek – zielony, ponury i zionący czosnkiem, ale jednocześnie uroczy i dobry olbrzym, który przeczy stereotypowemu wizerunkowi ogra. Ogry występują w wielu innych bajkach – m.in. w *Gumisiach*. Z ogrów złożona jest drużyna złego księcia Igthorna. Wyróżnia się tam jeden ogr – Toudi, o wiele niższy i słabszy od swoich kompanów, ale za to znacznie mądrzejszy. Ogrem jest również Grendel, jeden z głównych bohaterów liczącego ponad tysiąc dwieście lat poematu *Beowulf*. Potwora, który przez wiele lat nękał królestwo duńskie, pokonał rycerz o imieniu Beowulf. Ogry bardzo często występują w grach. To zazwyczaj tępe osiłki, uzbrojone w dość prymitywne, ale niebezpieczne narzędzia, jak maczugi lub pałki.

Ork

Orkowie to jedne z najstraszniejszych potworów – są odrażający i źli. Cała armia orków pojawia się w *Hobbicie* i *Władcy pierścieni*. W krainie stworzonej przez J. R. R. Tolkiena orkowie to postaci naprawdę szkaradne, znajdujące się pod władzą Saurona. Jednym z największych bohaterów tej rasy był Azog, który poległ w walce. Orkowie najczęściej przemieszczają się nocą, ponieważ nie cierpią światła i tylko późnymi godzinami, gdy słońce już zajdzie, czują się swobodnie i komfortowo – tym bardziej że dobrze widzą w ciemności.

OGR

Potwór z Loch Ness

Od ponad tysiąca czterystu lat krążą pogłoski, jakoby w jeziorze Loch Ness w Szkocji żył potwór. Czym jest i jak wygląda? Podobno jest długi i szary, ma wielometrowy ogon, szyję długą jak u żyrafy, małą głowę i wielkie oczy. Oprócz tego ma cztery płetwy i dwa garby. Czy potwór z Loch Ness istnieje naprawdę? Tego nikt nie wie. Wielu śmiałków próbowało robić mu zdjęcia lub go sfilmować, lecz według ich relacji potwór od razu się chował. Z tego właśnie powodu ludzie już od wielu lat przekazują sobie jedynie pogłoski o istnieniu potwora pieszczotliwie zwanego Nessie.

Rusałka

Rusałkę postrzega się jako piękne stworzenie – niewinne dziewczę z długimi, lśniącymi włosami. Jest delikatna i żyje w otoczeniu natury. Wierzono, że rusałki zamieszkują lasy, zbiorniki wodne i pola. Czasem jednak – pomimo całej swojej delikatności – potrafiły dokuczyć. Ich ulubionym zajęciem było uwodzenie młodzieńców, którzy przez swą nieuważność i lekkomyślność mogli prędko paść ofiarami niecnych planów rusałek. Istoty te łaskotały nieszczęśników, aż ci całkowicie opadali z sił, bądź tańczyły dookoła nich w szaleńczym pędzie. W istnienie rusałek wierzono przede wszystkim na terenach zamieszkiwanych przez ludy słowiańskie. Na Rusi obchodzono nawet tydzień poświęcony właśnie rusałkom. Był to okres ucztowania i składania im podarunków, np. chleba. Czeski kompozytor Antonin Dvořák napisał operę *Rusałka* opowiadającą historię bardzo podobną do tej, którą znamy z *Małej syrenki*.

Smok

Smoki to latające gady, które zazwyczaj osiągają bardzo duże rozmiary. Ludzie przeważnie boją się smoków, ponieważ potrafią one ziać ogniem i są niebezpieczne. W wielu legendach lub bajkach zadaniem głównych bohaterów było zabicie smoka, uznawanego za potwora, którego należy się pozbyć. Smoki pojawiają się w dziesiątkach opowieści, bajek, filmów, książek czy gier.

Bardzo znanym smokiem jest Smok Wawelski – w Krakowie można nawet zobaczyć, jak zieje ogniem. Tego smoka znamy z książki oraz animowanego filmu *Porwanie Baltazara Gąbki*. Inny film, w którym smok jest przedstawiony jako dobry stwór, to *Shrek*, w którym początkowo groźny potwór szybko staje się przyjacielem głównych bohaterów i niejednokrotnie pomaga im w obliczu zagrożenia.

Sylf

Sylf jest magiczną istotą, którą w średniowieczu uważano za ducha powietrza. Bardzo ważną cechą sylfa jest przezroczystość, a zatem nie sposób go zobaczyć. Z sylfem mógł się zaprzyjaźnić jedynie człowiek, który zachował czystość duszy. Nie bardzo wiadomo, skąd się wzięły sylfy, ale pisał o nich słynny lekarz i przyrodnik Paracelsus. A dzisiaj? Można je spotkać w grach komputerowych.

SMOK

Syrena

Postać syreny jest znana ludziom od wieków, pojawiła się bowiem już w mitologii greckiej. Początkowo wierzono, że jest ona pół kobietą, pół ptakiem, jednak z czasem wyobrażenie o niej się zmieniło i dziś ludzie uważają, że jest to pół kobieta, pół ryba. Syreny żyją w morzach i oceanach, są piękne i wabią żeglarzy swoim śpiewem.

Najbardziej znaną dzieciom syreną jest oczywiście Arielka Walta Disneya. Możemy spotkać ją w animowanych filmach, książkach, komiksach czy kolorowankach. Historię oparto na baśni Hansa Christana Andersena *Mała syrena*.

Postać syrenki jest ważna także dla warszawiaków, ponieważ legenda o Warsie i Sawie głosi, że to właśnie miłość rybaka i pięknej syreny zapoczątkowała istnienie stolicy Polski. Dlatego też syrenka znajduje się w warszawskim herbie.

Troll

Troll jest mitycznym stworzeniem, o którego istnieniu dowiadujemy się z mitologii nordyckiej. Mitologia nordycka to dawne wierzenia ludzi, którzy mieszkali na terenach Danii, Norwegii, Szwecji, Wysp Owczych oraz Islandii. Tutaj też bierze swój początek historia trolla – brzydkiego stworzenia, wyglądem przypominającego człowieka. Trudno jest jednoznacznie opisać trolla, ponieważ w wierzeniach dawnych ludów trolle mogły różnić się zarówno powierzchownością, jak i osobowością. Trolle można spotkać między innymi w książkach J. R. R. Tolkiena. Najbardziej przyjaznymi trollami, jakie znamy, są na pewno Muminki z książek Tove Jansson.

Tryton

Pierwsze wzmianki o trytonie pochodzą z mitologii greckiej i rzymskiej: było to połączenie człowieka i ryby, męski odpowiednik syreny. W dziełach sztuki tryton najczęściej jest przedstawiany jako postać, która dmie w muszlę bądź trzyma w rękach berło. Trytonem jest ojciec lubianej przez dzieci syrenki Arielki.

Uroboros

Uroboros jest bardzo specyficznym wężem, którego można rozpoznać po tym, że wiecznie zjada własny ogon. Ta czynność nigdy się nie kończy, ponieważ Uroboros ciągle się odradza. W starożytnej Grecji i Egipcie uznawano go za symbol nieskończoności. Wspomina o nim Jan Brzechwa w książce *Podróże Pana Kleksa*. Symbol ten pojawia się także w twórczości J. R. R. Tolkiena. Jest często wykorzystywany w grach bądź komiksach.

Utopiec

W dawnych wierzeniach Słowian utopiec był przedstawiany jako zły demon zamieszkujący mokradła i zbiorniki wodne. Był bardzo brzydki – wysoki i chudy, z zieloną skórą i wielkimi oczami. Utopiec był demonem bardzo podstępnym – zadawał przechodzącym w pobliżu osobom różne zagadki. Jeżeli ktokolwiek próbował oszukiwać bądź nie umiał poprawnie odpowiedzieć na zadane pytanie, zostawał utopiony. Ofiarami utopca padały również przeprawiające się przez zbiorniki wodne zwierzęta. Utopiec jest postacią popularną w wierzeniach słowiańskich. Nazywano go nie tylko utopcem – czasami był zwany utopnikiem, utoplecem, utopkiem, topekiem, topielecem czy wasermanem.

WILKOŁAK

Walkiria

O walkiriach dowiadujemy się z mitologii nordyckiej, a zatem z wierzeń rozpowszechnionych niegdyś na terenach Danii, Norwegii, Szwecji, Wysp Owczych oraz Islandii. W tych właśnie krajach wierzono, że walkirie to młode, piękne i przede wszystkim odważne dziewczęta – wojowniczki. Walkirie były wysłanniczkami boga Odyna i miały za zadanie opiekować się wojownikami. Sprowadzały dusze poległych na polu chwały do krainy zwanej Walhallą. Tam też dbały o nich i usługiwały im podczas uczt. Walkirie jeżdżą na skrzydlatych koniach bądź wilkach, a ich bronią są tarcze i włócznie.

Wilkołak

Wilkołak to człowiek, który potrafi zamieniać się w wilka. Po przemianie staje się bardzo niebezpieczny dla innych. Wilkołakiem można stać się poprzez rzucony przez kogoś urok bądź po ugryzieniu przez innego wilkołaka.

W dzisiejszych czasach motyw wilkołaka jest wykorzystywany w różnych filmach. Najbardziej popularnym wilkołakiem jest prawdopodobnie Jacob, jeden z bohaterów filmu *Zmierzch*, ekranizacji książki Stephenie Meyer o tym samym tytule. Jest on przyjacielem głównej bohaterki, Belli, i członkiem watahy wilkołaków. Jacob jest zakochany w Belli i o jej uczucia walczy z wampirem Edwardem. Drugim znanym wilkołakiem jest czarodziej Remus Lupin, bohater książki *Harry Potter i Więzień Azkabanu* autorstwa J. K. Rowling. Choć profesor Lupin jest pozytywnym bohaterem, który przyjaźni się z trójką głównych bohaterów – Harrym, Ronem i Hermioną – nocą zmienia się w wilkołaka i wówczas staje się niebezpieczny.

Yeti

Yeti jest stworzeniem, w którego istnienie wierzą mieszkańcy Indii i Nepalu. Wiemy, że jest to wielkie stworzenie, porośnięte gęstą sierścią koloru białego bądź czarnego, które pozostawia na śniegu olbrzymie ślady stóp. Po raz pierwszy o yeti usłyszano około dwustu lat temu. Wierzy się, że yeti żyje wysoko w górach w miejscach, gdzie leży gęsty śnieg i nie ma ludzi. Wiele osób twierdzi, że widziało tego stwora, jednak zdaniem naukowców brak jednoznacznych dowodów na jego istnienie.

Rusinki

Michał Rusinek – mieszka w tym samym mieście, w którym niegdyś mieszkał Smok Wawelski. Był sekretarzem Wisławy Szymborskiej, a teraz prowadzi Jej fundację. Pracuje na Wydziale Polonistyki UJ, gdzie wykłada teorię literatury i retorykę. Bywa tłumaczem z języka angielskiego, zdarza mu się pisywać książki dla dzieci i dorosłych oraz układać limeryki i teksty piosenek. Pisuje felietony o książkach i języku oraz – z rzadka – bardzo uczone rozprawy naukowe.

Delatury

Daniel de Latour – ilustruje książki i czasopisma, przede wszystkim dla dzieci. Współpracował między innymi z „Misiem" i „Świerszczykiem", rysował smoki, krasnoludki, kosmonautów, żyrafy, dinozaury i różne inne rzeczy (choć nigdy dotąd potwora z Loch Ness). Za młodu zdążył jeszcze zaprojektować okładkę płyty długogrającej gramofonowej i kasety magnetofonowej. Uczy się grać na skrzypcach od wiejskich muzykantów, w wolnych chwilach grywa na harmonii pedałowej.

Objaśnienia napisały
Magdalena Chorębała
i Karolina Przybysławska

Wydawnictwo Zwierciadło Sp. z o.o.
ul. Postępu 14, 00-676 Warszawa
tel. 22 312 37 12

Dział handlowy:
handlowy@grupazwierciadlo.pl

Projekt typograficzny, skład i łamanie: Marzka Dobrowolska
Redakcja i korekty: Melanż

Redaktor prowadzący: Magdalena Chorębała
Dyrektor produkcji: Robert Jeżewski

ISBN: 978-83-65456-29-8

Druk: BZGraf SA